Le garçon qui a mordu Picasso

(une histoire vraie)

Le garçon qui a mordu Picasso

(une histoire vraie)

Antony Penrose

Je m'appelle Tony.

Quand j'étais petit, je vivais dans une ferme, dans le Sussex, en Angleterre, et j'avais un ami vraiment extraordinaire. Il avait de grands yeux noirs, un large sourire et des mains ahurissantes. J'étais totalement fasciné par ses mains, car il pouvait faire des **peintures**, des dessins, des **sculptures**, des **collAgEs**, des poteries, des ASSIETTES, et beaucoup d'autres choses encore.

Mon ami s'appelait

Pablo Picasso

et c'était l'un des

plus grands

artistes de tous les temps.

Picasso

Lorsque Picasso a rencontré ma mère, il l'a trouvée tellement *belle* qu'il a fait son portrait. Mes copains se sont moqués du tableau, disant que ma mère était tellement laide qu'elle leur faisait peur. Pourtant, c'était un tableau remarquable.

Je me suis aperçu qu'en prenant une PHOTO de ma mère et en suivant le contour de son visage, mon dessin correspondait exactement au tableau de Picasso, sauf au niveau du menton. Mais je sais pourquoi : c'est parce que dans le tableau de Picasso, elle rit à belles dents.

Je vivais avec maman et papa dans une ferme, Farley Farm House, à Chiddingly en Angleterre.

Picasso venait d'Espagne, mais il vivait en France. Un jour, il a traversé toute la France pour nous rendre visite.

Angleterre
France
Espagne

Maman était PHOTOGRAPHE.

C’est elle qui a pris la plupart des photos de ce livre.

Papa était **ARTISTE**. Lorsque Picasso est arrivé dans notre ferme, la première chose qu'il a voulu voir, c'était l'atelier de papa. L'atelier se trouvait dans un vieux bâtiment. Il y avait un grand chevalet en bois sur lequel on posait les **tableaux**.

Picasso a apprécié l'atelier de papa, mais il *préférait* les animaux. Très vite, il a dit qu'il voulait voir les vaches et faire la connaissance de notre taureau.

Notre taureau s'appelait **William**.

Grand et fort, il n'était pas du tout farouche et s'entendait bien avec Picasso. William adorait que Picasso lui gratte les oreilles et lui parle en français.

Ce soir-là, Picasso s'est assis au coin du feu et a dessiné William et deux de ses amis déguisés en sauterelles !

1.11.62.
IV

Mon ours en peluche aimait bien Picasso lui aussi.

Je ne savais parler aucune des langues que parlait Picasso – le français et l'espagnol –, mais ça n'avait aucune espèce d'importance. Nous n'avions pas besoin de ça pour nous amuser. Jouer avec Picasso, c'était quelque chose ! Il mettait la pièce sens dessus dessous et adorait mimer des corridas. Sa veste en tweed piquait un peu, mais quelle élégance. En plus, il sentait bon. Il sentait l'eau de Cologne et le tabac français.

Je ne m'en souviens pas, mais ma mère m'a dit qu'un jour, pendant que nous étions en train de jouer, j'étais tellement excité que j'ai carrément mordu Picasso.

Il s'est retourné, et il m'a mordu à son tour, pour de vrai ! Juste avant que je commence à crier, maman a entendu Picasso qui disait : « Ça alors, c'est bien la première fois que je mords un Anglais ! »

Nous nous sommes bien amusés pendant le séjour de Picasso dans notre ferme, mais un jour, il a fallu qu'il rentre chez lui, en France, où il avait quatre enfants.

Le plus grand était un garçon : Paulo.

La deuxième, une fille : Maya.

Le troisième, un garçon : Claude (qui avait le même âge que moi).

Et la quatrième, une fille : Paloma.

Claude (qui se cache) et Paloma

Picasso adorait dessiner et **peindre** ses enfants en train de s'amuser sous le regard attentif de leur mère.

Françoise Gilot était la mère de Claude et Paloma. Quand nous lui avons rendu visite, elle a été très gentille ; elle nous a offert de *délicieux* chocolats.

Picasso a peint ce **portrait** de Maya avec sa poupée.

Certaines de ses **sculptures** donnent l'impression qu'on peut jouer avec.

Françoise était elle aussi une **ARTISTE** douée et elle aimait dessiner sa famille.

Peu après la visite de Picasso, j'ai entendu dire que mon père allait le voir en France. Je lui ai confié mon petit bus londonien à impériale afin qu'il l'offre à Claude.

Quand mon père est revenu, il m'a rapporté un cadeau de la part de Claude. C'était une PETITE FEMME que Picasso avait taillée dans un MINUSCULE morceau de bois. Je l'adorais et je l'ai mise à la tête de mon arche de Noé afin qu'elle s'occupe de tous les animaux.

Un jour, nous sommes tous partis dans le sud de la France rendre visite à Picasso. Sa maison n'était pas très grande, alors il utilisait comme *atelier* une ancienne fabrique de parfum. Je n'arrive pas bien à me souvenir si ça sentait encore le parfum. Picasso a créé beaucoup de choses dans cet atelier, notamment une femme grandeur nature, qu'il me montra. Avec des flotteurs en liège, il lui a confectionné un très joli chapeau.

Un vieil ami de Picasso est passé le voir. Il s'appelait Georges Braque et était lui aussi un artiste célèbre. Picasso a réalisé des colombes en **poterie** et il en a offert quelques-unes à Braque.

Picasso n'utilisait que rarement des métaux précieux tels que l'or ou l'argent. Il préférait se servir d'objets qu'il trouvait à droite à gauche, des choses qu'il récupérait dans le jardin, ou même à la cuisine. Ce bébé, par exemple, il l'a fait avec des morceaux de poteries brisées.

Il aimait tellement ce bébé qu'il décida de lui ajouter une **mère** et une poussette. Aujourd'hui, on peut les voir au Musée Picasso de Paris.

Picasso a également exécuté cette **sculpture** d'une fillette qui saute à la corde. On dirait qu'elle porte les chaussures de sa maman, non ?

Pendant quelque temps, Picasso a eu un singe comme animal domestique. Je ne l'ai jamais rencontré, mais j'ai vu la sculpture qui représente une maman singe avec son bébé. Regarde bien la tête de la maman. Est-ce que tu devines ce que Picasso a utilisé pour la faire ? Une voiture de Claude !

Au bout d'un certain temps, la maison de Picasso est devenue trop petite. Il a donc emménagé dans une maison plus grande, dans une ville située non loin de là. Il a rempli la maison d'étranges instruments de musique, de masques africains, de magazines et de cartes, d'un tas d'objets de rebut et, bien entendu, d'un grand nombre de ses œuvres.

« Est-ce que Picasso vient d'emménager ? », ai-je demandé à ma mère lorsque nous sommes allés le voir.

« Non, m'a-t-elle répondu. Ça fait déjà un moment qu'il est ici. Pourquoi me poses-tu cette question ? »

« Mais, il n'a pas rangé ses affaires », ai-je dit.

« Ça lui plaît comme ça », m'a-t-elle répondu en souriant.

Picasso aimait s'amuser et il nous laissait jouer chez lui sans rien dire. Par contre, si des adultes s'aventuraient à toucher à quoi que ce soit, il se mettait très en colère.

Cependant, même si Picasso aimait s'amuser, il passait le plus clair de son temps à travailler d'arrache-pied.

Il était toujours en train

d'expérimenter,

d'inventer,

de faire de nouvelles choses.

Picasso conservait un grand nombre de ses sculptures dans sa maison et dans son jardin. Il assemblait des *morceaux* d'objets abandonnés et les transformait en œuvres d'**ART**.

Tu vois la chèvre de la photo ci-dessous ? Pour donner forme à son ventre, Picasso a utilisé un panier et pour sa colonne vertébrale, une branche de palmier. Elle semble tellement vivante qu'on dirait la mère d'Esméralda…

Esméralda, c'était la chèvre de Picasso. On la voit ici en grande conversation avec ma nourrice, Patsy.

Esméralda vivait dans une caisse, juste à côté de la chambre de Picasso. Je trouvais ça épatant. Chez moi, il était totalement interdit de ramener des animaux de la ferme à l'intérieur de la maison.

Picasso avait également plusieurs colombes. Tout autour des fenêtres de sa chambre, il leur avait fabriqué des boîtes dans lesquelles elles se nichaient. Il laissait les fenêtres ouvertes de façon à ce qu'elles puissent entrer dans la pièce et picorer les graines qui jonchaient le sol. Elles avaient la fâcheuse habitude de faire leurs besoins sur le plancher, et parfois même sur le lit, mais Picasso s'en fichait complètement !

Sur ce **tableau**, Picasso a représenté la baie de Cannes ensoleillée, vue depuis la fenêtre de sa chambre. Sur les côtés, on aperçoit les colombes.

Ceci dit, la maison de Picasso n'était pas toujours calme. En fait, c'était souvent un vrai carnaval. Picasso adorait se déguiser. Peux-tu voir ici quelles parties de son visage ne sont pas vraies ?

Sur une table, il avait tout un tas de masques et de chapeaux. Nous devions choisir ce qui nous plaisait et rester déguisés une grande partie de la journée. Tu me reconnais ?

Même maman n'y coupait pas. Elle devait bien aimer son nouveau nez, car elle s'est PHOTOGRAPHIÉE dans le miroir…

Au fil des années, Picasso devenait de plus en plus célèbre, comme une rock star ou un joueur de football d'aujourd'hui. Mais les gens l'ennuyaient de plus en plus, et il déménagea de nouveau pour être plus tranquille.

Un jour, mon père est allé voir Picasso tout seul et il s'est passé quelque chose de spécial. Picasso a demandé de mes nouvelles, et mon père lui a expliqué que j'étais malheureux parce qu'on m'avait placé dans une école très stricte pour que je réussisse mes examens. Picasso a pensé que c'était une très mauvaise idée !

Pour me remonter le moral, il m'a envoyé un petit dessin. Il représente un taureau, un danseur jouant de la flûte et un centaure qui écoute. À chaque fois que je le regarde, ce dessin me fait chaud au cœur.

Picasso a continué de créer pendant de nombreuses années. Quand il est mort, à l'âge vénérable de 91 ans, il a laissé derrière lui près de **2 000** peintures, plus de **7 000** dessins, au moins **1 000** sculptures et beaucoup d'autres œuvres encore. Aujourd'hui, il est l'un des artistes parmi les plus célèbres du monde. Mais pour moi, il sera toujours mon ami extraordinaire et j'espère que maintenant, il est aussi le tien.

Crédits photographiques

Corgi® **p. 24 en haut** Image fournie par Corgi® marque déposée de Hornby Hobbies Ltd.

Françoise Gilot p. 23 à droite *La Famille en promenade*, 1952 (Archives Françoise Gilot G1118). © Françoise Gilot 2010.

Lee Miller p. 2 Antony Penrose et Odette Himmuel, Farley Farm House, East Sussex, Angleterre, 1949 (original non teinté) ; **p. 4** Antony Penrose jardinant, Farley Farm House, East Sussex, Angleterre, v. 1952 ; **p. 7** Picasso, Villa La Californie, Cannes, France, 1957 ; **p. 9 à droite** Autoportrait, New York Studio, New York, États-Unis, 1932 (contour du visage ajouté) ; **p. 10** Picasso devant un poteau indicateur, Chiddingly, East Sussex, Angleterre, 1950 ; **p. 13 en haut** Roland Penrose et Picasso, Farley Farm House, East Sussex, Angleterre, 1950 ; **p. 14** Picasso, Antony Penrose et William le taureau, Farley Farm House, East Sussex, Angleterre, 1950 ; **p. 17** Picasso et Antony Penrose, Farley Farm House, East Sussex, Angleterre, 1950 ; **p. 20** Claude et Paloma Picasso avec une céramique de Picasso, Vallauris, France, 1953 ; **p. 21 en bas** Claude Picasso et Françoise Gilot, Vallauris, France, 1949 ; **p. 26** Picasso et Antony Penrose devant *Femme à la clé (la Madame)*, Vallauris, France, 1954 ; **p. 27** Antony Penrose et Picasso, Vallauris, France, 1954 ; **pp. 28–29** Picasso et Georges Braque, Vallauris, France, 1954 ; **p. 30 à gauche et à droite** Picasso faisant une sculpture, Vallauris, France, 1954 ; **p. 32** Picasso et une de ses sculptures, Vallauris, France, 1954 ; **p. 34** Antony Penrose avec le perroquet de Picasso, Notre Dame de Vie, France, 1962 ; **p. 35** Atelier de Picasso, Villa La Californie, Cannes, France, 1957 ; **pp. 36–37** Picasso jouant de son xylophone africain, Villa La Californie, Cannes, France, 1957 ; **p. 38** Château de Vauvenargues, France, v. 1960 ; **p. 39 en haut** Patsy Murray et Esmeralda, Villa La Californie, Cannes, France, 1956 ; **p. 42** Picasso masqué, Villa La Californie, Cannes, France, 1957 ; **p. 43** Antony Penrose masqué avec Picasso, Villa La Californie, Cannes, France, 1956 ; **p. 44** Autoportrait au masque, Villa La Californie, Cannes, France, 1956 ; **p. 46** Picasso et Roland Penrose, Villa La Californie, Cannes, France, 1956. © Lee Miller Archives, Angleterre 2010. Tous droits réservés.

Antony Penrose p. 24 en bas, pp. 24–25 Photographies © Antony Penrose, Angleterre 2010. Tous droits réservés.

Roland Penrose p. 12 Picasso, Lee Miller et Antony Penrose avec un ami, Farley Farm House, East Sussex, Angleterre, 1950 (original non teinté) ; **p. 33 en haut** Picasso avec un singe, Antibes, France, 1939. © Roland Penrose Estate, Angleterre 2010. Tous droits réservés.

Pablo Picasso p. 1 *Tête de faune*, 1948 ; **p. 5** *Visage noir*, 1948 ; **p. 8, p. 9 à gauche** *Portrait de Lee Miller en Arlésienne*, 1937 (et détail avec contour du visage ajouté) ; **p. 13 en bas** *Deux jeunes taureaux*, 1945 ; **p. 15** *Taureaux-sauterelles*, extrait du livre d'or de l'Institute of Contemporary Arts, Londres, 1950 ; **p. 16** *Cheval*, 1962 ; **p. 21 en haut** *Françoise Gilot avec Paloma et Claude*, 1951 ; **p. 22** *Maya à la poupée*, 1938 ; **p. 23 à gauche** *Femme portant un enfant*, 1953 ; **p. 24 en bas** « Madame Noé », v. 1952 ; **p. 29** *Colombe*, 1953 ; **p. 31** *Femme à la poussette*, 1950 ; **p. 33 en bas** *Guenon et son petit*, 1951 ; **p. 39 en bas** *Tête de chèvre de profil*, 1952 ; **p. 40** *Colombe*, sans date ; **p. 41** *Les Pigeons*, Cannes, 1957 ; **p. 45** *Jeune hibou de bois*, 1952 ; **p. 47** *Taureau, centaure et joueur de flûte*, 1960. © Succession Picasso/DACS 2010.

Saskia Praill (âgée de 11 ans) p. 18

Luke Veevers (âgé de 11 ans) p. 6, p. 11, p. 19, p. 48

Pour Kahina et Tarik,
avec amour
A. P.

Gypsy, mon cheval bien-aimé

L'auteur tient à remercier Ami Bouhassane, Carole Callow, Paul Davis, Lance Downie, Victoria Fenton, Laura Green, Kate Henderson, Gabi Hergert, Tracy Leeming, Brenda Longley, Kerry Negahban et Stephanie Wooller, de Farley Farm House (www.farleyfarmhouse.co.uk).

L'édition originale de cet ouvrage a paru sous le titre *The Boy Who Bit Picasso* chez Thames & Hudson Ltd, Londres.

Publié en France par Thames & Hudson Ltd, Londres

Traduit de l'anglais par Pierre Saint-Jean

Cet ouvrage mis en pages par Thames & Hudson a été reproduit et achevé d'imprimer en octobre 2018 par l'imprimerie C&C Offset Printing Co. Ltd pour Thames & Hudson Ltd.
1ère réimpression

Dépôt légal : 1er trimestre 2018
ISBN : 978-0-500-23982-7
Imprimé en Chine